Rostock Warnemünde

Ein Portrait – A Portrait – Ett Porträtt

Horst Prignitz (Text)
Angelika Heim und Dorit Gätjen (Fotos)

EDITION TEMMEN

Die Deutsche Bibliothek – CIP-Einheitsaufnahme

Rostock – Warnemünde : Ein Portrait /
Horst Prignitz (Text). Angelika Heim und Dorit Gätjen (Fotos). – Rostock : Ed. Temmen, 1999
ISBN 3-86108-438-4

Übersetzung

Nancy Schrauf (Englisch), Michel Spanin (Französisch), Eivor Wichmann (Schwedisch)

Bildnachweis

Dorit Gätjen: 9, 11, 12, 20, 22, 24, 28, 29, 30, 31, 33, 39, 45, 47, 48, 49, 53;
Angelika Heim: 10, 13, 14, 15, 16, 18, 19, 21, 23, 25, 26, 27, 32, 34, 35, 36, 37, 38,
40, 41, 42, 43, 44, 46, 50, 54, 55, 56, 57, 58, 59, 60, 61, 63, 64;
Hansa-Rostock: 51; Sail-Rostock: 52; Irma Schmidt: 62; Christine Jörss-Munzlinger: 17.

© EDITION TEMMEN

18059 Rostock	28209 Bremen
Platz der Freundschaft 1	Hohenlohestr. 21
Tel. 0381-4019723	Tel. 0421-34843-0
Fax 0381-4019729	Fax 0421-348094

e-mail: Ed.temmen@t-online.de
Gesamtherstellung Edition Temmen

ISBN 3-86108-438-4

ROSTOCK

Ein Portrait

Rostock – eine alte Hansestadt mit jungem Herzen. Am kräftigsten schlägt es in der Kröpeliner Straße. Hier taucht man in die Menge ein wie in einen Jungbrunnen, trifft sich am »Brunnen der Lebensfreude«, klönt, schaut sich um und erlebt die Stadt als ein faszinierendes Bild der Baugeschichte: Das ehemalige Kloster Zum Heiligen Kreuz (seit 1980 Kulturhistorisches Museum), die einstige Stadtresidenz der Herzöge von Mecklenburg-Schwerin mit dem angrenzenden Saalbau, klassizistische Bauten, das durch seinen reichen Terrakottaschmuck auffallende Universitätshauptgebäude, das noch junge Fünfgiebelhaus.

Die beliebte Einkaufs- und Bummelstraße endet am Neuen Markt, an dessen Ostseite das im Kern gotische, mit einem mehrgeschossigen barocken Vorbau versehene Rathaus steht. Überquert man den Markt und geht in gleicher Richtung weiter, gelangt man in den ältesten Teil Rostocks, die »Östliche Altstadt«, die überragt wird vom schlanken, an den Himmel stoßenden Turm der Petrikirche.

Stadtgründung

Tief unten, wo sich heute ein Gewerbegebiet erstreckt, nahm die Geschichte Rostocks ihren Anfang. Die einst von Wasserläufen durchzoge-

A Portrait

Rostock – an old city of the Hanseatic League still young at heart. This heart beats strongest in the Kröpeliner Strasse, where one dips into the lively crowds as if they were a fountain of youth. Here, at the »Fountain of the Joy of Life«, you can meet friends, chat, look around, and enjoy a fascinating reflection of architectural history: the former Cloister of the Holy Cross (since 1980, the Museum of Cultural History), the one-time residence of the Dukes of Mecklenburg-Schwerin, classical buildings, the remarkable sculpted decorations of the university's administration building, and, finally, the *Fünfgiebelhaus* (House of the Five Gables).

The popular strolling and shopping street ends at the New Market, on the east side of which stands the *Rathaus* (City Hall). To this essentially Gothic building, a Baroque façade of several floors was added during that period. Continuing across the New Market in the same direction, one finally comes to the oldest section of Rostock, the *Östliche Altstadt* (Eastern Old Town). This part of the city is overshadowed by the slender tower of the *Petrikirche* (St. Peter's Church) soaring heavenwards.

The Founding of the City

Roctock had its beginnings at a place now deeply buried under an

Un Portrait

Rostock – une vieille cité hanséatique avec un coeur juvénile. C'est rue de Kröpelin qu'il bat le plus fort. Ici, l'on s'immerge dans la foule comme dans une fontaine de jouvence, on se donne rendez-vous à la fontaine de la joie de vivre, l'on bavarde, on regarde autour de soi et l'on perçoit la ville comme un fascinant panorama d'histoire architecturale: l'ancien cloître de la Saintecroix, devenu en 1980 »Kulturhistorisches Museum«, l'ex »Stadtresidenz« des ducs de Mecklenburg-Schwerin, l'édifice principal de l'université dont la riche décoration en terre cuite frappe le regard, la toujours jeune »Fünfgiebelhaus«. Cette rue commerçante si propice à la flânerie s'achève »am Neuen Markt«, sur le côté est duquel se dresse le »Rathaus«, gothique en son centre et précédé d'un corps de bâtiments baroques à plusieurs étages. Après le marché on arrive à la partie la plus ancienne de Rostock, l'»Östliche Altstadt«(vieille-ville-est), dominée par la tour élancée de la Petrikirche.

Fondation de la ville

C'est tout en bas, où s'étend aujourd'hui une zone industrielle, que l'histoire de Rostock a débuté. Les basses-terres de la Warnow, autrefois sillonnées de bras d'eaux, offrirent protection à l'établissement slave *Roztoc* contre la violence de la

Ett Porträtt

Rostock – en gammal Hansastad med ungt hjärta. Starkast slår det på Kröpeliner Straße. Här dyker man in i vimlet som i en föryngringsbrunn, träffas vid »Brunnen der Lebensfreude« (Livsglädjens Brunn), pratar, tittar sig omkring och upplever staden som en byggnadshistorians fascinerande illustration: Det forna klostret »Zum Heiligen Kreuz« (sedan år 1980 Kulturhistoriskt Museum), hertigarnas av Mecklenburg Schwerins forna stadsresidens med angränsade salbyggnad, klassisistiska byggnader, universitetsbyggnaden med de påfallande terrakotta-utsmyckningarna, det relativt unga »Fünfgiebelhaus« (Femgavelshuset).

Den populära affärs- och promenadgatan slutar vid Neuer Markt, vid vars östra sida rådhuset med sin gotiska kärna och barocka utbyggnad i flera våningar står. Om man går över torget och fortsätter åt samma håll, kommer man till Rostocks äldsta del, »Östliche Altstadt«, som domineras av Petrikyrkans slanka skyhöga torn.

Staden grundläggs

På det ställe, där idag ett industriområde breder ut sig, tog Rostocks historia sin början. Warnowsänkan, som förr genomkorsades av vattendrag, erbjöd den slaviska besittningen Roztoc – det betyder »en ström

ne Warnowniederung bot der slawischen Siedlung *Roztoc*, was »Auseinanderfließen eines Stromes« bedeutet, Schutz vor der Gewalt der Ostsee und dem Ansturm feindlicher Heere. Doch im erbitterten Kampf um Landgewinn und Vorherrschaft im südlichen Ostseeraum wurde die Siedlung 1160 von dänischen Kriegern unter Waldemar I. niedergebrannt.

Die aus Holstein, Niedersachsen und Westfalen ins Land strömenden Handwerker, Bauern und Kaufleute errichteten am Ende des 12. Jahrhunderts auf der Kuppe der heutigen Altstadt eine neue Siedlung: Zuerst nur ein Fachwerkkirchlein, Häuser aus Holz und Lehm, umgeben von einer einfachen Palisadenbefestigung, entwickelte sich aus dem kleinen Gemeinwesen in wenigen Jahren der wichtigste Hafenplatz des Landes. Den Rostocker Ratsherren bestätigte Fürst Heinrich Borwin I. am 24. Juni 1218 »den Genuß des ihnen verliehenen Rechtes der Stadt Lübeck jetzt und in Zukunft«.

Im Hansebund

Rostock blühte auf und erwarb von den stets unter Geldmangel leidenden Fürsten Land und Privilegien, wuchs heran zu einer mittelalterlichen Großstadt und errang als Mitglied der Hanse eine Machtstellung, die nur von der Lübecks übertroffen wurde.
Rostocker Koggen nahmen Kurs auf Brügge und Nowgorod, löschten und luden in den Häfen Frankreichs und Spaniens, stießen unter der Greifenflagge vor in die unendlich erschei-

industrial area. The Warnow Plains, formerly streaked with natural waterways, offered the Slavic settlement of *Roztoc* (»Fork of the rivers«) protection from the natural violence of Baltic storms, as well as from the human violence of enemy armies. In the bitter struggle to win territory, this settlement was finally burnt to the ground by Danish warriors under Waldemar I, in 1160. At the end of the 12th Century, merchants, craftsmen, and farmers came in droves from Holstein, Niedersachsen and Westphalia and built a new settlement on the crest of the hill where today's *Altstadt* stands. At first, this settlement consisted only of a little half-timbered church and wood and clay houses, surrounded by a simple palisade fence. Yet, within a comparatively brief time, this small community had developed into the most important harbour city of the land. The city councillors of Rostock confirmed Prince Heinrich Borwin I on June 24, 1218, in his »present and future rights to the city of Lübeck.«

In the Hanseatic League

Rostock flourished, buying ever more land and privileges from the princes chronically short of money. It became a big city by Medieval standards, and as a member of the Hanseatic League achieved a power rivalled only by that of Lübeck.
The ships of Rostock set sail for Bruges and Novgorod, they traded in the harbours of France and Spain, and under Rostock's Griffon Flag, finally dared the seemingly endless

mer baltique et contre l'assaut d'armées ennemies. Toutefois, dans la lutte féroce pour la conquête territoriale et la maitrise maritime du sud de la Baltique, la colonie fut réduite en cendres par les guerriers danois de Waldemar I. en 1160. Des artisans, des paysans et des marchands venus du Holstein, de Niedersachsen, de Westfalen, affluant dans la région, fondèrent à la fin du XIIe. siècle une nouvelle cité sur la colline de la vieille-ville actuelle: tout d'abord une petite église à colombages, des maisons de bois et d'argile, entourées d'une simple fortification en palissades; puis en peu d'années, la petite communauté devint la place portuaire la plus importante de la région. Le prince Heinrich Borwin I. confirma aux échevins de Rostock le 24 juin 1218 »la jouissance du droit à eux concédé par la ville de Lübeck, pour le présent et l'avenir«.

Dans la ligue hanséatique

Rostock s'épanouit et acquit terres et privilèges des princes toujours à court d'argent; grande ville médiévale elle occupa au sein de la Hanse une position qui n'était surpassée que par Lübeck.
Les »Koggen« (navires de commerce) de Rostock mettaient le cap sur Bruges et Novgorod, chargeaient et déchargeaient dans les ports de France et d'Espagne, et sous le pavillon des Greifen, sillonnaient à l'infini les mers nouvellement explorées. La richesse et la fierté bourgeoise de cette prime splendeur sont encore inscrits aux murs des puis-

som flyder isär« – skydd mot Östersjöns stormar och fientliga härars angrepp. Men i den bittra kampen om expansion och övermakt vid södra Östersjön brände Henrik Lejonet år 1160 ner besittningen. Hantverkarna, bönderna och köpmännen från Holstein, Niedersachsen och Westfalen, som strömmade in, byggde i slutet av 1100-talet på det högsta stället av det som idag är Gamla Stan en ny Koloni enligt lybsk stadsrätt: Först bara en korsvirkeskyrka, hus av trä och lera, omgivna av en palissadbefästning. Detta lilla samhälle utvecklade sig snart till landets viktigaste hamnplats. Furste Heinrich Borwin I bekräftade år 1218 Rostocks rådsherrar stadsrätten »nu och i framtiden«.

I hanseförbundet

Rostock blomstrade upp och köpte av furstarna, som alltid led av pengabrist, mark och privilegier, expanderade till en medeltida storstad och fick som medlem av hansan en maktposition, som bara överträffades av Lübeck.
Lastfartyg från Rostock tog kurs på Brügge och Novgorod, lossade och lastade i Frankrikes och Spaniens hamnar, sköt under gripflaggan ut över haven, som ännu verkade oändliga. Rikedom och borgarstolthet under denna glanstid kan man ännu spåra i de mäktiga kyrkorna, av vilka bara St. Marien förblev oskadd under Andra Världskriget. Vid sidan om många pärlor i hanseatisk byggnadskonst imponeras besökaren av de bevarade delarna av den medel-

nenden Meere. Reichtum und Bürgerstolz jener frühen Glanzzeit sind noch heute ablesbar an den mächtigen Kirchen, von denen nur St. Marien den Zweiten Weltkrieg unbeschädigt überstand. Neben manch Perle hansischer Baukunst beeindrucken den Besucher die erhaltenen Teile der mittelalterlichen Stadtbefestigung: die sieben Meter hohe, mehr als einen Meter dicke Stadtmauer mit ihren Wiekhäusern und dem wehrhaften Lagebuschturm, die Wallanlagen und die Stadttore, von denen das Kröpeliner Tor das höchste, das schlichte Kuhtor das älteste ist.

Seestadt Rostock

Im ausgehenden 18. Jahrhundert bäumte sich die nach dem Dreißigjährigen Krieg fast in Bedeutungslosigkeit versunkene Stadt auf. Eine Hoch-Zeit der Seefahrt begann, in der die Rostocker Barken und Briggs auf allen Weltmeeren zu Hause waren. Steinerne Zeugen dieses goldenen Zeitalters der »Großen Fahrt« sind die Getreidespeicher am Hafen und in der Nähe der Petrikirche. Einer der schönsten, das Haus Schnickmannstraße 13/14, beherbergt die Rostock-Information.

Nach dem Zweiten Weltkrieg, in dem große Teile der Innenstadt zerstört wurden, entwickelte sich Rostock zu einem Zentrum des Schiffbaus, der Hochseefischerei und der Hafenwirtschaft. Als einzige Möglichkeit, immer mehr Zuziehende aufzunehmen, erschien der Anfang der sechziger Jahre beginnende Aufbau neuer Stadtteile links und rechts der Warnow.

open sea. Wealth and pride of that earlier zenith can still be seen in the great churches among which the *Marienkirche* (St. Mary's) alone came undamaged through the Second World War. Along with such pearls of Hanseatic architecture, the remaining parts of the Medieval city walls are also impressive – seven metres high and more than a metre thick, with their Wiek Houses, defensive tower (Lagebuschturm), and greenbelt around the wall, and the city gates. Of these gates, the *Kröpeliner Tor* is the highest, while the simple *Kuhtor* is the oldest.

Seafaring Rostock

After sinking to insignificance during the Thirty Year's War, the city rose again at the end of the 18th Century. A thriving period for seafaring began and the ships of Rostock, again, were at home on all the seas of the earth. Buildings from these golden times are the graneries at the harbour and next to the *Petrikirche* (St. Peter's Church). One of the most beautiful is the House Schnickmann Strasse 13/14, now Rostock's Tourist Information Office.

After the Second World War, during which large parts of the inner city were destroyed, Rostock developed into a centre for shipbuilding, deep sea fishing and other harbour enterprises. In the early 1960s, so many people came to Rostock that a new section of the city to the left and right of the Warnow had to be built. Even after the collapse of the GDR, ship building and harbour enter-

santes églises, dont seule St.Marien a traversé la seconde guerre mondiale sans dommages. A côté de maint joyau d'architecture hanséatique, le visiteur admirera les pans conservés des fortifications médiévales: la muraille de la ville haute de sept mètres, épaisse de plus d'un mètre, avec ses »Wiekhäuser« (échauguettes) et la »Lagebuschturm« fortifiée, les ouvrages de défense et les portes de la ville, la »Kröpeliner Tor«, la plus haute, et la »Kuhtor«, la plus ancienne.

Rostock, ville maritime

Presque tombée dans l'insignifiance après la guerre de trente ans, la ville se redressa à la fin du XVIIIe. siècle. Une ère de navigation au long cours s'ouvrait; barques et briggs de Rostock étaient chez eux sur toutes les mers du globe. Les silos à céréales sur le port et aux abords de la Petrikirche témoignent avec leurs pierres de cet âge d'or de la »Grossen Fahrt«. L'un des plus beaux de ces greniers, situé Schnickmannstrasse 13/14, héberge l'office de tourisme de Rostock.

Au lendemain de la seconde guerre mondiale, où une grande partie du centre-ville fut détruite, Rostock développa un pôle de chantiers de constructions navales, la pêche hauturière, et les activités portuaires.De nouveaux quartiers, de part et d'autre de la Warnow, apparurent au début des années soixante pour accueillir les nouveaux arrivants, toujours plus nombreux.

Même après l'effondrement de la RDA, les industries navales et le port

tida stadsmuren: Den sju meter höga, mer än en meter tjocka stadsmuren med sina »Wiekhus« och det stolta Ladebusch-Tornet, vallanläggningarna och stadsportarna, av vilka Kröpelintor är den högsta och den enkla Kuhtor den äldsta.

Långfärdernas tidevarv

Mot slutet av 1700-talet kom det nytt liv i staden, som efter det Trettioåriga kriget hade förlorat mycket i betydelse. En gyllene ålder började för sjöfarten, under vilken Rostocks barkar och briggar sågs överallt på världshaven. Sädesmagasinen vid hamnen och i närheten av Petrikyrkan vittnar om dessa gyllene långfärdernas tider. I ett av de vackraste husen, på Schnickmannstraße 13/14, befinner sig Rostocks Tourist-Information.

Efter andra världskriget, då stora delar av centrum blev förstörda, utvecklade sig Rostock till ett centrum för skeppsbygge, havsfiske och hamnförvaltning. Som enda möjlighet att uppta allt fler nykomlingar i början av sextiotalet såg man i byggandet av nya stadsdelar till höger och vänster om Warnow.

Också efter att DDR slutat existera har varvindustri och hamn fortsatt att prägla Mecklenburg-Vorpommerns största stad med dess 210.000 invånare. Färjförbindelse med Danmark, Sverige och Finnland gör hamnen till en »port ut i världen«. Den gamla stadshamnen har under de senaste årens lopp fått ett helt nytt utseende; den förra omlastnings- och lagerplatsen har blivit promenadstråk. Och i augusti,

Auch nach dem Zusammenbruch der DDR bestimmen Werftindustrie und der Seehafen wie eh und je den Charakter der mit 205000 Einwohnern größten Stadt Mecklenburg-Vorpommerns. Fährlinien nach Dänemark, Schweden und Finnland machen den Hafen zu einem »Tor zur Welt«. Der alte Stadthafen hat in den letzten Jahren sein Antlitz gründlich geändert; aus einem Umschlags- und Lagerplatz wurde eine Flaniermeile. Und im August, wenn Windjammer aus aller Welt zur Hanse Sail eintreffen, wird an und auf der Warnow die Vergangenheit gegenwärtig.

In gleichem Maße geprägt wird das Bild der Hansestadt von der 1419 gegründeten ersten und ältesten Universität Nordeuropas, an der 10.000 Studenten lernen.

Seebad Warnemünde

Westlich der Warnowmündung liegt das Ostseebad Warnemünde. Aus dem schon um 1810 als Ausflugsziel beliebten Fischerdorf wurde am Ende des 19. Jahrhunderts ein Weltbad. Obwohl Warnemünde seit 1323 ein Teil Rostocks ist, erscheint es dem Besucher als ein selbständiges Städtchen. Seine schönste Seite zeigt es am Alten Strom. Fahrgastschiffe, Fischkutter und Segelboote bilden eine bunte Kulisse; Restaurants und Cafés sind einladend geöffnet. Und von der Galerie des 100 Jahre alten Leuchtturms lohnt ein Blick über Meer und Land und zurück bis zu den Türmen Rostocks.

prises determined the character of this city of 21,000, Mecklenburg-Vorpommern's largest. Ferry lines to Denmark, Sweden, and Finland make the harbour a »gate to the world.« Meanwhile, too, the old city harbour has changed thoroughly: what was once a loading and storage area has become an attractive pedestrian zone. And in August, when windjammers from all over the world meet for the »Hanse-Sail,« the past comes alive again on the Warnow.

The university, serving 10,000 students, also influences the image of this Hansa city. Founded in 1419, it is one of the first and oldest universities in Northern Europe.

Warnemünde Beach

West of the Warnow delta on the Baltic lies the beach resort of Warnemünde. Originally a fishing village which, as early as 1810, is mentioned as a popular destination for day trips, the *Seebad Warnemünde* had developed into a cosmopolitan resort area by the end of the 19th Century. Though Warnemünde has been a part of Rostock since 1323, to visitors it seems to be a small, independent city. The city is most beautiful on the *Alten Strom* (Old Riverside). Tourist boats, fishing cutters and sailboats provide a colourful backdrop for the inviting restaurants and cafés along the water. The view from the century-old lighthouse, over the sea and land, back to the towers of Rostock, is well worth your time.

de mer déterminent comme par le passé le caractère de Rostock, première ville de Mecklenburg-Vorpommern avec ses 210000 habitants. Les lignes de ferries pour le Danemark, la Suède et la Finlande font du port une »Tor zur Welt«, une porte sur le monde. Au cours des dernières années le vieux port de ville a considérablement modifié son apparence; une zone d'entrepôts et de centres d'emballage a été transformée en promenade. Et en août, quand les grands voiliers, les »Windjammer« du monde entier se retrouvent pour la course de la Hanse, la Warnow et ses rives retrouvent des allures d'antan.

De même, l'image de la cité hanséatique garde l'empreinte de son université, la plus ancienne d'Europe du nord, fondée en 1419, avec ses 10000 étudiants.

Warnemünde-Plage

A l'ouest de l'embouchure de la Warnow se situe la station balnéaire baltique de Warnemünde. Le village de pêcheurs réputé dès 1810 comme but d'excursions devint à la fin du XIXe. siècle une station balnéaire de renommée mondiale. Son meilleur côté apparaît »am Alten Strom«(le vieux-fleuve). Bâteaux de croisière, chalutiers, voiliers forment un panorama bariolé; restaurants et cafés vous tendent les bras. Et du haut du promenoir du vieux phare centenaire, le coup d'oeil sur la mer d'un côté et sur l'arrière-pays de l'autre jusqu'aux tours de Rostock vaut la peine.

när segelskepp från hela världen träffas till »Hanse-Sail«, är vid och på Warnow också de flydda tiderna närvarande.

I samma mått präglas hansastadens bild av norra Europas äldsta universitet från år 1419 med dess 10.000 studenter.

Havsbadet Warnemünde

Väster om ån Warnows mynning ligger havsbadet Warnemünde. Fiskarbyn, som redan i början av 1800-talet var ett populärt utflyktsmål, blev mot slutet av seklet en internationell badort. Fastän Warnemünde sedan 1323 utgör en del av Rostock, har besökaren ändå intrycket av en självständig småstad. Från sin vackraste sida visar den sig vid Alter Strom. Passagerarbåtar, fiskebåtar och segelbåtar bildar en brokig kuliss, restauranger och kaféer lockar till besök. Och från galleriet i den hundraåriga fyren lönar det sig att titta på utsikten över hav och land och tillbaka till Rostocks torn och tinnar.

Von Süden her nähert sich die Warnow, die als schmales Rinnsal nördlich von Parchim entspringt, Rostock. Bootshäuser säumen den hier etwa 50 Meter breiten Fluß. Paddler steuern geruhsam ihr Ziel an, und Angler finden ein stilles Plätzchen. Der aufragende Turm der Petrikirche verkündet die Ankunft in der Hansestadt.

The Warnow, which starts as a narrow stream just north of Parchim, approaches Rostock from the south. The river, about 50 metres wide at this point, is lined with boathouses. Rowboats float quietly to their moorings and fishermen can always find a peaceful nook. The soaring tower of the *Petrikirche* announces imminent arrival in the Hansa City.

Venant du sud, la Warnow, née mince ruisseau au nord de Parchim, approche de Rostock. Des hangars à bâteaux jalonnent la rivière, large à présent d'environ 50 mètres. Les rameurs y louvoient paisiblement et les pêcheurs s'y trouvent un coin tranquille. La tour de la Petrikirche, se dressant dans le ciel, annonce l'arrivée de la cité hanséatique.

Från söder närmar sig ån Warnow Rostock. Den rinner opp norr Parchim som ett smalt vattendrag. Båtshus kantar ån, som här är ungefär 50 meter bred. Kanotister strävar sävligt mot sitt mål, och hobbyfiskare hittar här en lugn vrå. Petrikyrkans branta torn signalerar, att man ankommit i Hansastaden.

Die Warnow, die Lebensader Rostocks, ist zum breiten Strom geworden, an den sich die alte Stadt schmiegt. Der Blick reicht von einem Teil der »Nördlichen Altstadt« über den Stadthafen mit seinen hohen Silos bis zu den jungen Stadtteilen Dierkow und Toitenwinkel.

The city clings to its main artery, the Warnow, which at this point has become a wide river. From here, the view extends from the *Nördliche Altstadt* (Northern Old Town), over the high silos of the city harbour, to the newer parts of the city, Dierkow and Toitenwinkel.

La Warnow, artère vitale de Rostock, est devenue un large fleuve, au bord duquel se blottit la vieille cité. Le regard porte, d'une partie de la »Nördliche Altstadt«(vieille-ville-nord), par-dessus le port de ville avec ses hauts silos, jusqu'aux nouveaux quartiers de Dierkow et Toitenwinkel.

Ån Warnow, Rostocks livsådra, har förvandlats till en bred ström, som Gamla Stan smyger sig intill. Utsikten sträcker sig från en del av »Nördliche Altstadt« över stadshamnen med dess höga silos till de unga stadsdelarna Dierkow och Toitenwinkel.

Blick aus südlicher Richtung auf den ältesten, »Östliche Altstadt« genannten Teil Rostocks mit der Petrikirche und dem Alten Markt. Das große, helle Gebäude vor dem Gotteshaus ist die im Jahre 1903 gebaute Altstädtische Mädchenschule, die heute als Realschule dient.

View south to the oldest part of Rostock, the *Östliche Altstadt* (Eastern Old Town), including the *Petrikirche* (St. Peter's Church) and the *Alter Markt* (Old Market). The large, light building just before the church is the *Mädchenschule* (Old Town Girls' school). Today this is used as a *Realschule*, or non-university prep high school.

Vue depuis le sud sur la »Östliche Altstadt«, le plus ancien des quartiers de Rostock, avec la Petrikirche et l'»Alten Markt«(vieux-marché). Le grand bâtiment clair devant la maison de Dieu est l'école de filles de la vieille-ville, bâtie en 1903, qui sert aujourd'hui de »Realschule« (collège secondaire).

Vy söderut över den äldsta stadsdelen, »Östliche Altstadt« med Petrikyrkan och Alter Markt. Den stora ljusa byggnaden framför kyrkan är en högstadieskola, som byggdes år 1903 som flickskola.

Über die »Östliche Altstadt« fällt der Blick auf das um die mächtige Marienkirche gruppierte Zentrum der See- und Hafenstadt. Links der Kirche sind einige der Giebelhäuser am Neuen Markt zu erkennen, rechts überragen die Bauten der Langen Straße das Gewirr der Dächer.

Looking over the *Östliche Altstadt*, the eye falls upon the *Marienkirche* (Church of Mary), the mighty centre of this sea and harbour city. Left of the church you see some of the gabled houses of the *Neuer Markt*, to the right, the jumble of roofs cover the buildings of *Langen Strasse*.

Par-delà la »Östliche Altstadt«, le regard tombe sur les centres de la ville maritime et portuaire groupés autour de la puissante Marienkirche. A gauche de l'église l'on reconnait quelques unes des maisons à pignons du »Neuen Markt«, sur la droite les constructions de la »Langen Strasse« émergent de l'enchevêtrement des toitures.

Över »Östliche Altstadt« ser man hamnstadens centrum, som grupperar sig kring den mäktiga Marienkyrkan. Till vänster om kyrkan lägger man märke till några gavelhus vid Neuer Markt, till höger dominerar byggnaderna vid Lange Straße takens vimmel

An dem mit vier Staffelgiebeln und einem Dachreiter geschmückten, seit dem Ende des 13. Jahrhunderts in die Höhe gewachsenen Kröpeliner Tor nehmen die am Rosengarten endenden Wallanlagen ihren Anfang. Der Oberwall ermöglicht den besten Blick auf den einst lückenlos die Stadt umgebenden Mauerring mit seinen halbkreisförmigen Einbauten, den sogenannten Wiekhäusern. Sie dienten als kleine Zeughäuser, als Lagerstätten für allerlei Kriegsmaterial.

The park and defensive features surrounding the wall (*Wallanlagen*) begin at the Kröpeliner Gate and end in the rose gardens. The 13th century Kröpeliner Gate is decorated with four staggered pediments and a ridge turret. From the upper wall you have the best view of the once-whole ring wall with its *Wiekhäuser* (Wiek Houses). These circular constructions served as storage places for war implements and materials, among other things.

Les fortifications, qui vont jusqu'à la roseraie, commencent à la »Kröpeliner Tor«, qui se dresse depuis la fin du XIIIe. siècle, ornée de quatre pignons échelonnés et d'un »Dachreiter«(laterneau). Le rempart supérieur offre le meilleur point de vue sur le mur d'enceinte de la ville, autrefois sans faille, avec ses constructions en demi-cercles encastrées, les »Wiekhäuser«. Elles servaient de petites remises à outils et d'entrepôts pour toute sorte de matériel de guerre.

Vid Kröpeliner Tor, som påbörjades på 1200-talet och som pryds av fyra trappstegsgavlar och en dekorativ takås, börjar vallanläggningarna och slutar vid Rosengarten. Från Oberwall har man den bästa utsikten över ringmuren, som engång omgav hela staden med sina halvrunda arsenalsbyggnader, lager för krigsmaterial.

Das Hauptgebäude der Alma mater rostochiensis steht am Universitätsplatz. Errichtet wurde es von 1867 bis 1870 im Stil mecklenburgischer Renaissancebauten des 16. Jahrhunderts nach einem Entwurf des Schweriner Hofbaumeisters Hermann Willebrand.

The main building of the *Alma Mater Rostochiensis* stands on the University Square. It was built between 1867 and 1870 in the Mecklenburg Renaissance style using the design of the Schwerin court architect, Hermann Willebrand.

Le bâtiment principal de l' »Alma mater rostochiensis« se dresse place de l'université. Il fut érigé de 1867 à 1870 dans le style des constructions renaissance mecklenbourgeoise du XVIe. siècle d'après un projet du maître d'œuvre de la cour de Schwerin, Hermann Willebrand.

Universitetets – Alma Mater Rostochiensis – huvudbyggnad står vid Universitätsplatz. Den uppfördes år 1867–1870 i mecklenburgs renässans efter ett utkast av Schwerins hovbyggmästare Hermann Willebrand.

Vorbilder für das Universitäts-Hauptgebäude, das einen »Weißes Colleg« genannten Vorgängerbau ablöste, waren der Fürstenhof in Wismar und ältere Teile des Schweriner Schlosses. Der dreigeschossige Putzbau erhielt in den letzten Jahren sein ursprüngliches Aussehen zurück. Über dem Portal befinden sich die Statuen der Herzöge Johann IV. und Albrecht V., die gemeinsam mit dem Rostocker Rat die Universität 1419 gründeten, und die Halbfigur des ersten Kanzlers der Universität, des Bischofs Heinrich von Schwerin. Zum Dekor gehören unter anderem Sgraffitos und Friese mit zahlreichen Porträtmedaillons. Im Fries unter dem Giebel ist Großherzog Friedrich Franz II. zu entdecken.

The main building of the university replaced a previous construction, the so-called »White College.« Models for the present building can be seen in the royal courts of Wismar and older parts of various castles in Schwerin. In the past few years, this elegant three-storey building has been restored to its original appearance. Over the main doors, one finds the statues of Dukes Johann IV and Albrecht V, together with the Rostock Council, which, in 1419, founded the university. The half figure is the first Chancellor of the university, Bishop Heinrich von Schwerin. Decoration also includes paintings and bas-relief friezes, as well as numerous portrait medallions. Grand Duke Friedrich Franz II can be seen in the frieze under the gable.

La cour princière de Wismar et des parties anciennes du château de Schwerin servirent de modèles au bâtiment principal de l'université, qui prit la place d'un précédent »Weisses Colleg«. Le bâtiment de trois étages en stuc a retrouvé ces dernières années son lustre d'antan. Au-dessus du portail se trouvent les statues des ducs Johann IV. et Albrecht V., qui fondèrent l'université en 1419 en commun avec le »Rostocker Rat«(conseil municipal), ainsi que le buste du premier chancelier de l'université, l'évêque Heinrich von Schwerin. La décoration comporte entre autres »Sgraffitos« et frises ornées de nombreux portraits en médaillons. Dans la frise sous le pignon se cache le Grand-duc Friedrich Franz II.

Förebilder för universitetets huvudbyggnad, som avlöste en byggnad vid namn »Weißes Colleg«, var fursteresidenset i Wismar och äldre delar av slottet i Schwerin. Den rappade treplansbyggnaden har under de senaste åren återfått sitt ursprungliga utseende. Över portalen befinner sig statyer av hertigarna Johann IV och Albrecht V, som tillsammans med stadens råd grundade universitetet år 1419. Dessutom ser man universitetets första kansler, Heinrich von Schwerin, i halvbild. Till dekoren hör bl. a. serafiter och friser med talrika porträttmedaljonger. I frisen över gaveln kan man upptäcka storhertig Friedrich Franz II (v. bilden).

Das 1819 eingeweihte Denkmal für Gebhard Leberecht von Blücher, den »Marschall Vorwärts« der Befreiungskriege, ist ein Werk des Berliner Bildhauers Johann Gottfried Schadow; die Inschriften stammen von Johann Wolfgang von Goethe.

This monument to Gebhard Leberecht von Blücher, the Forward Marshall of the revolutionary wars, is the work of the Berlin sculptor, Johann Gottfried Schadow. The inscriptions are from Johann Wolfgang von Goethe.

Inauguré en 1819, le monument à la mémoire de Gebhard Leberecht von Blücher, le »Marschall Vorwärts«(maréchal en avant) de la guerre de libération, est une œuvre du sculpteur berlinois Johann Gottfried Schadow; les citations sont de Johann Wolfgang von Goethe.

Gerhard Leberecht von Blüchers, befrielskrigens »Marschall Vorwärts«, monument från år 1819 är den berlinske skulptören Johann Gottfried Schadows verk; inskrifterna är citat av Johann Wolfgang von Goethe.

Vom Universitätsplatz mit dem Fünfgiebelhaus (rechts) führt die Kröpeliner Straße zum Kröpeliner Tor, das von einem Dachreiter gekrönt wird. Dieser Teil der Straße ist nach 1900 durch den Bau von Warenhäusern stark verändert worden. Das gegenüber dem Universitätshauptgebäude (links) stehende Eckhaus wurde 1909/10 nach Plänen von Paul Korff erbaut.

The Kröpeliner Strasse leads from the Fünfgiebelhaus (right) to the Kröpeliner Gate, surmounted by a ridge turret. This part of the street changed significantly after 1900, when many department stores were built there. The corner house across from the university's main building (left) was built in 1909/10 using Paul Korff's designs.

De la place de l'université avec sa maison aux cinq pignons (à droite), la Kröpeliner Strasse conduit à la Kröpeliner Tor, couronnée d'un lanterneau. Cette partie de la rue a été considérablement modifiée après 1900 par la construction de Grands-Magasins. La maison d'angle en face du bâtiment principal de l'université (à gauche) fut bâtie en 1909/10 sur des plans de Paul Korff.

Från Universitätsplatz med »femgavlarshuset« leder Kröpeliner Straße till Kröpeliner Tor, som krönas av ett takås. Denna del av gatan förändrats betydlig genom byggandet av varuhus efter 1900. Hörnhuset mittemot universitetets huvudbyggnad byggdes 1909/10 efter ritningar av Paul Korff.

Das 1986 nach Plänen Rostocker Architekten unter der Leitung von Peter Baumbach fertiggestellte Fünfgiebelhaus, ein in industrieller Plattenbauweise errichtetes Ensemble, fügt sich durch seine Fassadengestaltung in das Bild des Universitätsplatzes ein.

The *Fünfgiebelhaus* (House of Five Gables) was constructed in 1986 by Peter Baumbach using the designs of the Rostock city architects. This ensemble, built using the industrial concrete block construction of the times, manages to harmonize with the rest of the University Square, thanks to its façade.

La maison aux cinq pignons, un ensemble érigé en 1986 dans le style »Plattenbau«(style industriel de la RDA, genre HLM) sur des plans d'architectes rostockois sous la direction de Peter Baumbach, s'intègre à l'image d'ensemble de la place de l'université, par l'organisation de ses façades.

»Femgavlarshuset«, som uppfördes år 1986 under Peter Baumbachs ledning efter ritningar av stadens arkitekter. En ensemble i industriell byggteknik, som anpassar sig till fasaderna vid Universitätsplatz.

Ein bei Einheimischen und Fremden beliebter Treffpunkt ist seit dem Sommer 1980 der »Brunnen der Lebensfreude« auf dem Universitätsplatz. Die bronzenen Menschen- und Tierfiguren sind Schöpfungen der Rostocker Bildhauer Jo Jastram und Reinhard Dietrich.

Ever since summer, 1980, the »Fountain of the Joy of Life«on University Square has been a favourite meeting place of city dwellers and visitors alike. The bronze figures of people and animals are creations of the Rostock sculptors Jo Jastram and Reinhard Dietrich.

Un lieu de rencontre apprécié des autochtones comme des touristes est, depuis 1980, la »Brunnen der Lebensfreude«. Les bronzes à figures humaines ou animalières sont des créations des sculpteurs rostockois Jo Jastram et Reinhard Dietrich.

En populär mötesplats för både ortsbefolkningen och för turister är sedan sommaren 1980 »Brunnen der Lebensfreude« (Livsglädjens Brunn) på Universitätsplatz. Människorna och djuren gjutna i brons är verk av skulptörerna Jo Jastram och Reinhard Dietrich.

Eine stille Oase im Herzen der Stadt ist das ehemalige Zisterzienser-Nonnenkloster Zum Heiligen Kreuz. Gestiftet wurde es um 1270 von der dänischen Königin Margarete, die bis zu ihrem Tode im Jahre 1282 unter den Nonnen lebte. Die lange vernachlässigte Klosteranlage wurde ab 1977 umfassend rekonstruiert und dient seit 1980 als Kulturhistorisches Museum.

The Cistercian Nun's Cloister of the Holy Cross is a quiet oasis in the heart of the city. It was established by the Danish Queen Margarethe, who lived there as a nun until her death in 1282. After many years of neglect, the cloister was completely renovated in 1977. Since 1980 it has served as the Museum of Cultural History.

L'ex-nonnial cistercien »Zum Heiligen Kreuz« constitue une oasis de calme au cœur de la cité. Il fut fondé vers 1270 par la reine danoise Margarete qui y vécut parmi les nonnes jusqu'à sa mort en l'an 1282. Les installations du cloître, longtemps laissées à l'abandon, furent entièrement restaurées à partir de 1977 et servent depuis 1980 de »Kulturhistorisches Museum«.

En stilla oas i staden är cisterciensernunnornas gamla kloster Zum Heiligen Kreuz. Stiftat blev det av Danmarks drottning Margarete år 1270. Själv levde hon här som nunna till sin död år 1282. Anläggningen, som länge försummats, har rekonstruerats med början år 1977, och tjänar sedan år 1980 som Kulturhistoriskt Museum.

Eines der um 1740 entstandenen Fachwerkhäuser bildet den Eingang in das Kulturhistorische Museum. Kunstwerke aus verschiedenen Epochen haben hier ihre Heimstatt gefunden, darunter Zeugnisse und Ansichten zur langen Geschichte Rostocks und Bestände der Ahrenshooper und Schwaaner Künstlerkolonien.

One of the half-timbered houses built in 1740 functions as the entry to the Museum of Cultural History. Artworks of various eras, evidence and perspectives on Rostock's long history as well as collections of the artist colonies of Ahrenshoop and Schwaan, have found a home here.

L'une des maisons à colombages construites en 1740 constitue l'entrée du Kulturhistorische Museum. Des objets d'art de diverses époques y ont élu domicile, parmi lesquels des témoignages et points de vue sur la longue histoire de Rostock, et des collections des colonies d'artistes de Ahrenshoop et de Schwaan.

Ett av korsvirkeshusen från 1740-talet bildar den imposanta ingången till det Kulturhistoriska Museet. Konstverk från olika epoker hör nu hemma här, bl. a historiska dokument och avbildningar samt verk, som härstammar från konstnärskolonierna Ahrenshoop och Schwaan.

Eine der reizvollsten Einkaufsstätten im Herzen der Hansestadt ist der »Hopfenmarkt«, eine 1995 eröffnete Ladenpassage, die – ausgehend vom Haus Kröpeliner Straße 18 – die Bummelmeile mit der Buchbinder- und der Rungestraße verbindet. Der begrünte Innenhof macht ein Stück Alt-Rostock lebendig. Die Passage steht auf einem geschichtsträchtigen Grundstück. Grabungen vor dem Bau förderten Fundstücke zutage, die bis zu 700 Jahre alt sind.

One of the most charming of the shopping areas in the heart of the Hansa city is the »Hopfenmarkt«, a roofed shopping area which opened in 1995. This extends from the Haus Kröpeliner Strasse 18 along the »shopping mile« with the bookbinder's and the Runge Strasse. The planthung atrium brings a bit of old Rostock to life. The passage stands on ground laden with history. When builders began to dig, they found objects up to 700 years old.

L'une des galeries marchandes les plus attirantes au cœur de la cité hanséatique est le »Hopfenmarkt«(marché aux houblons), inauguré en 1995; ce passage entre la Kröpeliner Strasse 18 et les rues »Buchbinderstrasse»(des relieurs) et Rungestrasse, avec sa cour intérieure verdoyante tonifie un morceau du Vieux-Rostock. Il est situé dans une zone chargée d'histoire: des fouilles avant travaux ramenèrent au jour des objets vieux de 700 ans.

Ett av de mest inbjudande shopping-centren i hjärtat av hansastaden är »Hopfenmarkt«, en affärspassage, som öppnades år 1995, och som börjar vid Kröpeliner Straße 18 och förbinder promenadstråket med Buchbinder- och Rungestraße. Den gröna inre gården låter lite av det gamla Rostock återuppstå. Passagen står på historisk mark. Vid utgrävningar kom upp till 700 år gamla fund i dagen.

Einkaufen unter einer gläsernen Kuppel, bummeln auf zwei Ebenen. Die Galerie »Rostocker Hof« in der Kröpeliner Straße entstand hinter der erhaltenen Fassade eines 1887/88 gebauten Hotels.

Shopping under the glass Cupola – a pleasant stroll on your own two feet. The gallery »Rostocker Hof« on Kröpeliner Strasse uses the façade of a hotel that was built in 1887/1888.

Faire des emplettes sous une coupole de verre, flâner à pied ... la galerie »Rostocker Hof« a été créée dans la Kröpeliner Strasse derrière la façade conservée d'un hôtel bâti en 1887/88.

Shoppa under en glaskupol, flanera på två plan. »Rostocker Hof« på Kröpeliner Straße bakom fasaden av ett hotell från 1800-talet.

Die im April 1942 fast völlig zerstörte Lange Straße wurde von 1953 bis 1959 als breite Wohn- und Geschäftsstraße (Chefarchitekt Joachim Näther) neu erbaut. Die Fassadengestaltung läßt den Willen erkennen, an norddeutsche Bautradition anzuknüpfen. Spätere Bauten, darunter ein Hotel, zeigen die Abkehr vom historisierenden Baustil.

Lange Strasse, almost fully destroyed in April, 1942, was rebuilt (under chief architect, Joachim Näther) between 1953 and 1959 to be a wide boulevard of apartments and shops. In the composition of the facades we recognise an attempt to connect with traditional Northern German architecture. Later constructions, among these a hotel, show a turning away from historically evocative building styles.

La »Lange Strasse«, presqu'entièrement détruite en avril 1942, fut rebâtie de 1953 à 1959 en une large avenue où se côtoient habitations et commerces. La forme des façades indique la volonté de se référer à la tradition architecturale nord-allemande. Des constructions ultérieures, dont un hôtel, manifestent l'abandon du style historiciste.

Lange Straße förstörts i april 1942 nästan fullständigt. Den byggdes på nytt som breda affärs- och flervåningshusgata mellan 1953 och 1959. Chefarkitekten var då Joachim Näther. Utförandet av fassader anknyta till norra Tysklands byggtradition. Senare byggnader, bl.a. ett hotell, vända sig bort från den historiserande stilen.

Die Schnickmannstraße führt von der Langen Straße hinein in jenen Teil der »Nördlichen Altstadt«, der 1984/86 in Plattenbauweise errichtet wurde. Ein 1795 erbauter ehemaliger Getreidespeicher (rechts im Bild) beherbergt die Rostock-Information.

Schnickmann Strasse leads from the Langen Strasse into the *Nördliche Altstadt* (Northern Old Town), that part of the city built in 1984/86 using concrete block construction. A grain store built in 1795 houses the Rostock Tourist Information.

La Schnickmannstrasse conduit de la Langen Strasse à la partie de la »Nördliche Altstadt« qui fut érigée en 1984/86 en constructions »Plattenbau«. Un ancien grenier à céréales bâti en 1795 (à droite sur la photo) héberge l'office de tourisme de Rostock (»Rostock-Information«).

Schnickmannstraße leder från Lange Straße in till en del av »Nördliche Altstadt«, som mellan åren 1984 och 1986 byggdes i den typiska DDR-stilen. Ett gammalt sädesmagasin härbergerar Rostock-Information, stadens informationscentrum.

Bis in das frühe 13. Jahrhundert reicht die Geschichte des Rostocker Rathauses zurück. Zum Rathaus gehören seit 1935 auch die beiden Giebelhäuser (rechts); der linke, wenig schöne Anbau kam 1952 hinzu.

The history of the Rostock City Hall reaches back to the early 13th Century. Both of the pediment houses to the right have belonged to the City Hall since 1935. The less charming addition to the left was built in 1952.

L'histoire du Rathaus de Rostock remonte au tout début du XIIIe. siècle. Les deux maisons à pignons (à droite sur la photo) font également partie depuis 1935 de l'hôtel-de-ville; celle de gauche, de moins belle allure ne fut rajoutée qu'en 1952.

Rådhuset i Rostock har en historia, som går tillbaka till 1200-talet. Funktionellt hör de båda gavelbyggnaderna (till h. på bilden) från år 1935 till rådhuset. Det vänstra, mindre vackra annexet kom till år 1952.

Die um 1500 vollendete prächtige Schauwand des Rathauses verschwand 1727/29 fast völlig hinter einem mehrgeschossigen barocken Vorbau. Zu sehen ist seitdem nur noch ihre obere Partie mit den zu den Rostocker Wahrzeichen zählenden, durch golden glänzende Kugeln gekrönten sieben Türmchen. Das Rathaus war jahrhundertelang nicht nur Sitz der Verwaltung und Versammlungsort, sondern auch Kaufhaus und Gaststätte.

By 1727/29, the magnificent walls of the city Hall, finished in 1500, had disappeared behind a Baroque façade of several storeys. Since that time, only the upper part, with Rostock's landmark seven towers, each topped with a golden ball, can be seen. The City Hall served for many years, not only as the administrative seat of Rostock, but also as a shop and a restaurant.

Le splendide mur d'apparat du Rathaus, achevé vers 1500, disparut presqu'entièrement en 1727/29 derrière une construction baroque à plusieurs étages. Ne demeure visible, depuis, que la partie supérieure, dont les sept tourelles couronnées de boules étincelantes d'or, comptent parmi les signes distinctifs de Rostock. Des siècles durant, le Rathaus fut non seulement siège de l'administration et lieu de réunions, mais également maison de commerce et auberge.

Rådhusets präktiga paradsida, som blev färdig omkring år 1500, försvann år 1727/29 nästan helt bakom en flera våningar hög barock fasad. Sedan dess kan man bara se den översta delen med dess guldglänsande klot och kronprydda tinnar – ett av stadens vårtecken. Rådhuset har i århundraden inte bara varit säte för förvaltning och rådsförsamling utan också fungerat som varuhus och värdshus.

Der Neue Markt – das Bild zeigt die von der Marienkirche überragte Westseite mit dem Eingang in die Kröpeliner Straße – ist seit mehr als sieben Jahrhunderten Rostocks Hauptmarkt.

The *Neuer Markt* (New Market) has served Rostock as a main market place for over seven hundred years. This picture shows it with the *Marienkirche* (Church of Mary) on the west side, with the entry to *Kröpeliner Strasse*.

Le »Neuer Markt« est depuis plus de sept siècles le marché principal de Rostock; la photo montre le côté ouest dominé par la Marienkirche, avec l'entrée dans la Kröpeliner Strasse.

Der Neue Markt (bilden visar västsidan, som domineras av Marienkyrkan med början av Kröpeliner Straße) har i sju århundraden varit Rostocks största torg.

Wie das Hausbaumhaus, das einzige vollständig erhaltene Rostocker Kaufmannshaus aus der Hansezeit, ist auch die Seemannskneipe »Zur Kogge« (Wokrenterstraße/Ecke Strandstraße) ein echtes Stück Alt-Rostock. Schiffsmodelle, Rettungsringe, Mitbringsel aus aller Herren Länder prägen das Bild des berühmtesten maritimen Lokals der Stadt. Wer reichlich Geld hat und eine Saalrunde riskieren will, kann die große Messingglocke bei der Theke läuten.

Two historical bits of old Rostock are the only remaining Rostock merchant's house of the Hansa Era, the *Hausbaumhaus* (Hausbaum House) and the sailor's pub *»Zur Kogge«* at the corner of Wokrenter Strasse and Strand Strasse. Ship models, lifesavers, and exotic knick-knacks are part of this most famous maritime pub of the city.

Tout comme la Hausbaumhaus, seule maison de marchands rostockoise du temps de la Hanse à avoir été intégralement conservée, la taverne de marins »Zur Kogge« (angle des Wokrenterstrasse et Strandstrasse) est un morceau authentique du Vieux-Rostock. Des bâteaux en modèle réduit, des bouées de sauvetage, des souvenirs du monde entier imprègnent l'image du local maritime le plus célèbre de la ville. Qui a assez d'argent en poche et veut prendre le risque d'une tournée générale peut sonner la grande cloche de cuivre jaune au bout du comptoir.

Som Hausbaumhaus, det enda fullständigt bevarade köpmanshuset från hansatiden, är också Sjömanskrogen »Zur Kogge« (Wokrenterstraße / hörnet av Strandstraße) en liten bit av det gamla Rostock. Skeppsmodeller, frälsarkransar och souvenirer från alla världens hörn präglar stadens mest berömda maritima krog. Den som har gott om pengar och riskerar en runda för alla får ringa i den stora mässingsklockan vid disken.

Die im Laufe mehrerer Jahrhunderte entstandene Marienkirche, die größte und bedeutendste der Rostocker Stadtkirchen, blieb als einzige im Zweiten Weltkrieg unzerstört. Die Wokrenterstraße im Vordergrund, in der sich Giebel an Giebel reiht, ist bis auf das 1470 erbaute Hausbaumhaus (Nummer 40) ein 1980/83 geschaffenes Kunst-Werk der Architekten.

The *Marienkirche*, the largest and most important of Rostock's city churches, was the only one to remain standing after the Second World War. In the foreground we see the Wokrentner Strasse, where the houses stand gable to gable. Except for the *Hausbaumhaus* (Number 40), built in 1470, all others were created by architects working between 1980 and 1983.

La Marienkirche, dont la construction s'étale sur plusieurs siècles, est la plus grande et la plus significative des églises de la ville de Rostock, et fut la seule à rester intacte lors de la seconde guerre mondiale. La Wokrenterstrasse au premier plan, où se presse pignon contre pignon, est un ouvrage d'art des architectes de 1980/83, à l'exception de la Hausbaumhaus (au numéro 40) qui remonte à 1470.

Marienkyrkan, byggd under flera århundradens lopp, var den enda kyrkan, som under andra världskriget förblev oskadd. Wokrenterstraße i förgrunden, där husen står gavel vid gavel, är med undantag av hus nr. 40, byggt år 1470, ett arkitekternas mästerverk från tiden 1980/83.

Zu den bedeutendsten Kunstwerken der Marienkirche gehört die astronomische Uhr. Ihr Schöpfer ist der Nürnberger Hans Düringer (1472). Die Uhr wurde 1641/43 von Rostocker Handwerkern erneuert, mit einem Renaissancegehäuse versehen und dem Apostelumgang gekrönt. Das Defilee der Apostel vor Christus ist mittags um zwölf Uhr zu erleben. Nur einer von ihnen, Judas, darf nicht ins Paradies; er steht die nächsten zwölf Stunden vor der Pforte.

The astronomical clock in the *Marienkirche* is one of its most significant works of art. The creator of this piece is Hans Düringen (1472) of Nurnberg. In 1641/43 the clock was renovated by craftsmen from Rostock and given a renaissance housing and the »walk of the apostles«. This apostle parade before Christ can be seen at 12:00 noon every day. Only one, Judas, is not allowed into paradise; he must stand before the doors for the next twelve hours.

L'horloge astronomique est l'une des œuvres d'art les plus remarquables de la Marienkirche. Son créateur est le nurenbergeois Hans Düringen (1472). L'horloge fut rénovée en 1641/43 par des artisans rostockois, pourvue d'un boitier renaissance et couronnée de la procession des Apôtres. Le défilé des Apôtres du Christ doit être contemplé à la douzième heure de midi; un seul d'entre eux, Judas, n'est pas autorisé à entrer au paradis; il reste devant la porte pour les douze heures à venir.

Till de mest betydande konstverken i Marienkyrkan hör det astronomiska uret. Det skapades år 1472 av Hans Düringer från Nürnberg. Uret blev år 1641/43 renoverat av handverkare från staden. Det försågs med ett yttre renässanshölje och en apostlaprocession som krona på verket. Apostlarna kan ses defilera förbi Kristus varje middag klockan tolv. Bara en, Judas, har inte tillträde till paradiset utan måste stå utanför porten de följande tolv timmarna.

Hinter dem Rathaus entdeckt der Besucher eines der schönsten Giebelhäuser Rostocks. Sein Bauherr war Bürgermeister Kerkhof (1470). Für den auffallenden Giebelschmuck sorgte um 1550 einer seiner Nachfahren. Das Kerkhofhaus dient als Standesamt und Stadtarchiv, dessen wertvolle Bestände in einem mehrstöckigen Anbau lagern.

In the back of the City Hall, the visitor discovers one of the most beautiful gabled houses of Rostock. Mayor Kerkhof (1470) built this house; his successors are responsible for the remarkable decoration added in 1550. The Kerkhof House serves as City Hall's marriage chapel and city archives, the valuable collections of which are stored in an annex several storeys tall.

Derrière le Rathaus, le visiteur découvre l'une des plus belles maisons à pignons de Rostock. Son maître d'œuvre fut le bourgmestre Kerkhof en 1470. C'est l'un de ses descendants qui prit en charge vers 1550 l'ornement des pignons, si frappant. La »Kerkhofhaus« sert de bureau d'état-civil et archive municipale, dont les précieux actes sont conservés dans une construction annexe de plusieurs étages.

Bakom rådhuset upptäcker besökaren ett av Rostocks vackraste gavelhus. Borgmästare Kerkhof lät bygga det år 1470. En av hans efterkomlingar lät på 1550-talet utsmycka gaveln. Kerkhofhuset tjänar som byrå för civilregistrering och stadsarkiv, vars värdefulla dokument uppbevaras i ett annex.

Überraschung in der Grubenstraße: ein Löwenkopf als Wasserspeier. Die Grubenstraße ist jene Senke, die den heute als »Östliche Altstadt« bezeichneten ältesten Teil Rostocks von der jüngeren Mittelstadt trennte. Die »Grube« war ein erst in der Mitte des 19. Jahrhunderts überwölbter Nebenarm der Warnow, in dem sogar Wäsche gewaschen wurde. Der erste Schritt zu einer modernen Wasserversorgung war der Bau eines städtischen Wasserwerkes im Jahre 1867.

Gruben Strasse will surprise you! Here you will see a lion's head fountain. Gruben Strasse is the trough that divides the oldest part of the city – what today is called the *Östliche Altstadt* (Eastern Old Town) – from the newer city centre. In the mid-1900s, this »ditch« was a vaulted-over arm of the Warnow used for washing. The first step toward a modern water system was made with the building of the city waterworks in 1867.

Surprise dans la Grubenstrasse: une tête de lion fait office de jet d'eau. La Grubenstrasse est cette dénivellation qui séparait ce que l'on nomme aujourd'hui »Östliche Altstadt«, partie la plus ancienne de Rostock, de la »Mittelstadt«(ville moyenne) plus récente. La »Grube« (fosse) était un bras secondaire de la Warnow, qui ne fut recouvert d'une voûte qu'au milieu du XIXe. siècle, et dans lequel on lavait même le linge. Le premier pas vers une alimentation en eau moderne fut la construction d'une usine municipale d'eaux en l'an 1867.

Överraskning på Grubenstraße: Ett lejonhuvud som fontän. Grubenstraße är den sänka, som förr skilde Rostocks äldsta del, »Östliche Altstadt«, från den yngre mellanstad. »Grube« var en biarm till Warnow, där man bykte. Överbyggd blev den först i mitten av 1800-talet. Första steget till en modern vattenförsörjning togs när stadens vattenverk byggdes år 1867.

Nach einer Typhusepidemie wurde 1894 in der Talstraße ein neues Wasserwerk gebaut. Seitdem versorgt es, mehrfach erweitert und modernisiert, die Stadt mit Wasser aus der Warnow. Seit 1959 nicht mehr genutzt wird der 48 Meter hohe Wasserturm in der Blücherstraße. Der neugotische Backsteinbau wurde 1903 nach einem Entwurf von Gustav Dehn errichtet.

After a typhoid fever epidemic, in 1894, a new Waterworks in Talstrasse was built. Often extended and modernised, this waterworks supplies the city with water from the Warnow. The 48 metre water tower in Blüchherstrasse has not been used since 1959. This tower is a new-gothic brick construction designed by Gustav Dehn in 1903.

En 1894, suite à une épidémie de typhus, une nouvelle usine d'eaux fut bâtie dans la Talstrasse. Plusieurs fois agrandie et modernisée depuis, elle continue d'approvisionner la ville en eau de la Warnow. Le château d'eau de 48 mètres de haut de la Blücherstrasse n'est plus en service depuis 1953. La bâtisse en brique néogothique avait été érigée en 1903 d'après un projet de Gustav Dehn.

Efter en tyfusepidemi år 1894 byggdes ett nytt vattenverk på Talstraße. Sedan dess försörjer det, flera gånger expanderat och moderniserat, staden med vatten från Warnow. Sedan år 1959 används inte längre det 48 meter höga vattentornet på Blücherstraße. Den nygotiska tegelbyggnaden byggdes år 1903 efter Gustav Dehns ritningar.

Hinter einem alten Speicher (1754) ist der 1824/25 umgebaute Chor der Kirche des ehemaligen Klosters Sankt Katharinen zu sehen. Das im 13. Jahrhundert erbaute Franziskanerkloster war bei einem verheerenden Stadtbrand 1677 zu großen Teilen zerstört worden. Seit einigen Jahren wird der Komplex restauriert; er soll die Hochschule für Musik und Theater aufnehmen.

Behind an old storehouse (1754) is the rebuilt church choirstall of the former cloister of St. Katharine. This Franciscan cloister built in the 13th Century was largely destroyed by the terrible fire of 1677. The restoration of this building has been in progress for a few years now. The school of music and theatre will later be housed in this complex.

A voir, derrière un ancien silo (1754), le chœur réaménagé en 1824/25 de l'église de l'ancien cloître Sankt Katharinen. Le cloître franciscain du XIIIe. siècle fut en grande partie détruit par un incendie qui ravagea la ville en 1677. Depuis quelques années l'on restaure l'ensemble, qui doit accueillir l'école supérieure de musique et de théâtre.

Bakom en magasinsbyggnad från år 1754 kan man se f.d. klostret Sankt Katharinens kor, som byggdes om år 1824/25. Fransiskanerklostret, byggt på 1200-talet, blev år 1677 vid en eldsvåda, som omfattade hela staden, till största delen förstört. Sedan några år restaureras komplexet – Högskolan för Musik och Teater ska flytta hit.

Ein Hinterhof zwischen Altschmiede- und Wollenweberstraße. In diesem Teil der »Östlichen Altstadt« ist von neuem Leben, von zurück-gewonnenem Charme weniger als anderswo zu spüren.

An atrium between *Altschmiede* (Old Blacksmith's) and the Wollen-weberstrasse. This part of the *Östliche Altstadt* is not yet as lively or charming as the newly renovated places.

Une arrière-cour entre les rues Altschmiede(de la vieille forge) et Wollenweberstrasse (rue des tisse-rands de laine). La vie nouvelle et le regain de charme sont moins sen-sibles qu'ailleurs dans cette partie de la »Östliche Altstadt«.

En bakgård mellan Altschmiede- och Wollenweberstraße. I den här delen av »Östlichen Altstadt« märker man mindre än annanstans av nytt liv och återvunnen charm.

Als einziger von sechs Wehrtürmen der Stadt-
befestigung blieb der ˅ier˷ ˙t ei-
nem gewölbten K˵ ˷-
buschturm erh˵ n
Friedenszeiten auch a˷˷ ˷˷ ˷˷
de um 1575 neu erbaut. Sein Vorgänge˵, »˶
auf dem Rammelsberg« genannt, war 1566 be˵
Auseinandersetzungen zwischen der Stadt ˷nd
den mecklenburgischen Herzögen ges˵
worden.

The only defensive tower of the old city walls to
remain is the four-level *Lagebuschturm*, with
its vaulted cellar. This tower, which in peace-
time was used as a prison, was built in 1575 to
replace the »Tower on Rammelsberg« levelled
in 1566 during fighting between the Dukes of
Mecklenburg and the city.

Des six tours fortifiées qui gardaient la ville, il
ne reste que la Lagebuschturm, avec ses quatre
étages et ses caves voûtées. Cette tour munie de
canons, servant en temps de paix de prison, fut
reconstruite vers 1575. Sa devancière, la »Turm
auf dem Rammelsberg«, avait été rasée en 1566,
lors des querelles entre la ville et les ducs de
Mecklenburg.

Det enda av de ursprungliga sex försvarstornen
i stadsmuren som inte förstörts, är Lagebusch-
turm med dess källarvalv. Tornet, som under
fredstider också har tjänat som fängelse, byggdes
om år 1575. Dess föregångare, som kallades
»Turm auf dem Rammelsberg« blev år 1566
jämnat med marken i en kamp mellan staden
och mecklenburgs hertigar.

Auf einer Anhöhe am Alten Markt erhebt sich die Petrikirche. Der Bau der Backsteinbasilika wurde um 1400 mit der Errichtung des Turmes abgeschlossen. Der fast 117 Meter hohe Kirchturm diente jahrhundertelang den Seefahrern als Landmarke. Die dem Patron der Seeleute geweihte Kirche wurde im April 1942 durch Fliegerbomben stark beschädigt. 52 Jahre später, im November 1994, erhielt Sankt Petri wieder seinen achteckigen Turmhelm.

On a hill of the *Neuer Markt* (New Market) rises the *Petrikirche* (Church of St. Peter). This brick basilica was finished in 1400 with the final addition of its tower. The tower is almost 117 metres high and for centuries served as a landmark for sailors. This church, dedicated to the patron saint of seafarers, was heavily damaged by air attacks of April, 1942. Only 52 years later did St. Peter's have its octagonal tower roof back again.

Sur une éminence auprès du vieux-marché se dresse la Petrikirche. La construction de la basilique en briques fut achevée vers 1400 avec l'édification de la tour. Le clocher haut de près de 117 mètres servit des siècles durant aux navigateurs de repère du rivage. L'église, consacrée au patron des gens de mer, fut sévèrement endommagée en avril 1942 par des bombes aériennes. 52 ans plus tard, en novembre 1994, Sankt Petri retrouva sa toiture octogonale.

På en höjd vid Alter Markt reser sig Petrikyrkan. Tegelstensbyggnaden fulländades ungefär år 1400 genom att tornet kom till. Det nästan 117 meter höga kyrktornet tjänade i århundraden som landmärke för sjöfararna. Kyrkan, vigd åt sjömannens skyddshelgon, blev starkt skadad vid ett bombangrepp år 1942. Femtiotvå år senare, i november 1992, återfick Sankt Petri sin åttkantiga tornspira.

Die erhaltenen Teile der Stadtmauer (links ein Abschnitt unterhalb der Petrikirche) zeugen noch heute von der Stärke Rostocks im Mittelalter. Das schon 1262 urkundlich erwähnte Kuhtor (rechts) gilt als ältestes Stadttor Norddeutschlands. Nach seinem Ausbau wurde es 1985 zum Domizil der Schriftsteller und ist heute als Literaturhaus eine gute Adresse.

The remaining parts of the city walls (left in the picture, below the *Petrikirche*) show even today what Rostock's power in the Middle Ages was. The *Kuhtor* (to the right), already mentioned in documents from 1262, is the oldest city gate of Northern Germany. After additions in 1985, it has been used as a writer's retreat and remains a first address for literature.

Les parties conservées des murailles de la ville (à gauche, un fragment , en contrebas de la Petrikirche) témoignent encore aujourd'hui de la puissance de Rostock au moyen-âge. La Kuhtor (à droite) mentionnée dès 1262 dans les actes de la ville passe pour la plus ancienne porte de ville d'Allemagne du nord. Après son aménagement en 1985 elle devint maison de la littérature et comme telle reste une bonne adresse.

De bevarade delarna av stadsmuren (f.v. ett avsnitt under Petrikyrkan) bär ännu idag vittnesmål om Rostocks makt under medeltiden. Kuhtor (t.h.), som omnämns redan år 1262, gäller som norra Tysklands äldsta stadsport. Efter utbyggningen år 1985 blev den författarhem och en förnämlig adress.

Zwischen Petrikirche und Stadt-
mauer erinnert ein kleines Denk-
mal an das Wirken des Reforma-
tors Joachim Slüter (um 1490 bis
1532), der seit 1523 als Kaplan an
der Petrikirche wirkte und in nie-
derdeutscher Sprache die Lehre
Martin Luthers verkündete.

Between the *Petrikirche* and the city
walls, a small monument com-
memorates the work of Reformation
figure, Joachim Slüter (1490 to
1523). He was chaplain at the
Petrikirche from 1523, and spread
the word of Martin Luther in Low
German, the former language of this
area.

Entre la Petrikirche et le mur d'en-
ceinte, un petit monument rappelle
l'action du réformateur Joachim
Sluüter (1490–1532) , qui fut cha-
pelain de la Petrikirche à partir de
1523 et répandit les enseignements
de Martin Luther en langue »nie-
derdeutsch« (bas-allemand).

Mellan Petrikyrkan och stadsmuren
erinrar ett litet monument om
reformatorn Joachim Slüter (ungf.
1490–1532). Han blev år 1523
kyrkans kaplan och förkunnade
Martin Luthers lära på plattyska.

Auch die Nikolaikirche, eine der ältesten gotischen Hallenkirchen im Ostseeraum, erlitt im Krieg schwere Beschädigungen. Nach ihrem Wiederaufbau, der 1976/77 begann, konnte sie im Juli 1994 als kirchliches Kulturzentrum eröffnet werden.

The *Nicolaikirche* is one of the oldest gothic vestibule churches in the area surrounding the Baltic. It, too, suffered heavy damage during the war. After it was rebuilt, starting in 1976/77 and finishing in 1994, it could be used again as a cultural centre.

La Nikolaikirche, l'une des plus anciennes église-halle gothiques dans la région baltique, souffrit également durant la guerre de graves dommages. Après sa reconstruction qui débuta en 1976/77, elle put être ouverte en juillet 1994 comme centre culturel écclésiastique.

Också Nikolaikyrkan, en av östersjöområdets äldsta gotiska hallkyrkor, blev avsevärt skadad under kriget. Efter återuppbyggandet, som påbörjades 1976/77, kunde den i juli 1994 öppnas som kyrkligt kulturcentrum.

Vor dem Lagebuschturm (ganz rechts) und dem im Stil der niederländischen Renaissance erbauten Steintor (1574/77) steht das prachtvolle neugotische Ständehaus. In Auftrag gegeben von Großherzog Friedrich Franz II., entstand es erst nach dessen Tode in den Jahren 1889/93 nach Plänen des Baumeisters Gotthilf Ludwig Möckel. In dem repräsentativen Gebäude tagten bis 1918 die mecklenburgischen Landstände.

In front of the *Lagebuschturm* (Lagebusch Tower – to the far right in the picture) and the brick gate built in the style of the Dutch renaissance, stands the magnificent new gothic *Ständehaus* (Council House). This was built by order of Grand Duke Friedrich Franz II, though only after his death, in the years 1889/93, using designs of the master builder, Gotthilf Ludwig Möckel. Until 1918, this impressive building housed the state parliament of Mecklenburg.

Devant la Lagebuschturm (tout à droite) et la Steintor (bâtie de 1574 à 1577 en style renaissance néerlandaise), l'on trouve la splendide »Ständehaus« néogothique. Commandée par le Grand-duc Friedrich Franz II., elle ne fut réalisée qu'après sa mort, dans les années 1889/93 sur des plans du maître d'œuvre Gotthilf Ludwig Möckel. Jusqu'en 1918, les réunions du parlement de Mecklenburg se tinrent dans ce prestigieux bâtiment.

Framför Lagebuschturm (ytterst t.h.) och Steintor, byggd år 1574/77 i nederländsk renässans, står det praktfulla nygotiska ständerhuset. Det var Storhertig Friedrich Franz II som gav det i uppdrag åt byggmästare Gotthilf Ludwig Möckel, men byggt blev det först år 1889/93 efter storhertigens död. I den representativa byggnaden sammanträdde tills år 1918 ständerna i Mecklenburg.

Von der Meisterschaft der Handwerker kündet die Schauwand des Ständehauses. Hoch über dem Eingangsportal befinden sich vier von den Berliner Bildhauern Ludwig Brunow und Oscar Rassau angefertigte überlebensgroße Bronzestatuen. Das Bild zeigt die Großherzöge Friedrich Franz II. von Mecklenburg-Schwerin (links) und Georg von Mecklenburg-Strelitz (rechts).

The wall of the *Ständehaus* evidences the craftsman's skill. High over the main entry are four monumental bronze statues by the Berlin sculptors Ludwig Brunow and Oscar Rassau. The picture show the Grand Duke Friedrich Franz II of Mecklenburg-Schwerin (left) and Georg of Mecklenburg-Strelitz (right).

Le fronton orné de la Ständehaus témoigne de la maîtrise des artisans. Haut au-dessus du portail d'entrée se trouvent quatre statues de bronze plus grandes que nature, réalisées par les sculpteurs berlinois Ludwig Brunow et Oscar Rassau. La photo montre les Grands-ducs Friedrich Franz II. de Mecklenburg-Schwerin (à gauche) et Georg de Mecklenburg-Strelitz (à droite).

Ett Hantverkligt mästerverk är ständerhusets paradvägg. Högt över ingångsportalen befinner sig fyra kolossala bronsstatyer skapade av skulptörerna Ludwig Brunow och Oscar Rassau från Berlin. På bilden ser man storhertigarna Friedrich Franz II av Mecklenburg-Schwerin (t.v.) och Georg av Mecklenburg-Strelitz (t.h.).

Ein Blick in den kurzen Straßenzug »Bei der Nikolaikirche«. Die zum Teil rund 400 Jahre alten Häuser zeigen nach der Befreiung von unansehnlichen Putzschichten ihre ganze Schönheit. Ein besonderes Schmuckstück ist das Eckhaus zur Lohgerberstraße.

A view down the little street *Bei der Nikolaikirche*. These houses, some of which are 400 years old, have been freed of the unattractive additions made over the centuries and can now be seen in their original beauty. The corner house on Lohgerberstrasse is an especially wonderful exemplar.

Une vue de la courte ruelle »Bei der Nikolaikirche«. Après avoir été débarrassées de leurs couches disgracieuses de crépi, les maisons dont certaines ont quatre siècles montrent toute leur beauté. La maison au coin de la Lohgerberstrasse (rue des tanneurs) est d'une splendeur particulière.

En blick på det korta stråket »Bei der Nikolaikirche«. De delvis ungefär 400 år gamla husen visar sig, efter att ha befriats från sin intetsägande rappning, i hela sin prakt. Särskilt vackert är hörnhuset vid Lohgerberstraße.

Unweit vom Stadtzentrum, am Rosengarten, steht die 1864/67 nach Plänen des Stadtbaumeisters Theodor Heinrich Klitzing erbaute Große Stadtschule. Die Geschichte des heutigen Gymnasiums läßt sich Jahrhunderte zurückverfolgen; gegründet wurde es im Februar 1580 als zentrale Rostocker Lateinschule.

Master builder Theodor Heinrich Klitzing planned the Great City School to be built (1864/67) not far from the centre of the city, next to the rose gardens. This present-day academic high school can trace its history back several centuries; it was founded in February, 1580, as the central Latin School of Rostock.

Non loin du centre ville, près du »Rosengarten« (la roseraie), se dresse la »Grosse Stadtschule« (grande école municipale), bâtie en 1864/67 sur des plans de l'architecte municipal Theodor Heinrich Klitzing. L'histoire de l'actuel Gymnasium (lycée) se laisse suivre à travers les siècles: il fut fondé en février 1580 en tant qu'école latine centrale de Rostock.

Inte långt från stadens centrum, vid Rosengarten, står Große Stadtschule, ett verk av stadsbyggmästare Theodor Heinrich Klitzing från år 1864/67. Skolan, som idag är gymnasium, har en månghundraårig historia. Grundad blev den år 1580 som Rostocks centrala latinskola.

Hinter der Großen Stadtschule steht das Michaeliskloster genannte Fraterhaus der »Brüder vom gemeinsamen Leben«, die bis zur Reformation vor allem als Buchdrucker in Rostock wirkten.

Behind the Great City School stands the *Michaeliskloster* (Michael's Cloister), a communal brotherhood who, until the Reformation, were the main book printers of Rostock.

Derrière la Grosse Stadtschule se trouve le »Michaeliskloster«, maison de fraternité des »Brüder vom gemeinsamen Leben« (compagnons de la vie en commun), qui furent surtout connus à Rostock comme imprimeurs, jusqu'à la réforme.

Bakom Große Stadtschule står ett hus, som idag kallas Michaelikloster. Det tillhörde en munkorden – »Brüder vom gemeinsamen Leben«. Munkarna tjänstgjorde fram till reformationen framför allt som boktryckare.

Die älteste Anlage vor dem Kröpeliner Tor ist der heutige Lindenpark. Das große Areal wurde 1831 als Friedhof eingeweiht. Seine Umgestaltung zum Park begann nach 1980. Einige Grabsteine blieben zur Erinnerung erhalten. Am südwestlichen Rand befindet sich ein Platz der Trauer und Mahnung: der 1870 angelegte jüdische Friedhof.

The oldest area in front of the Kröpeliner Gate is today the *Lindenpark* (Linden Park). The area was dedicated as a cemetery in 1831. Its refashioning as a park began after 1980. A few gravestones have been retained as memorials. On the south-western edge is the Jewish cemetery founded in 1870, today a place of remembrance and sorrow.

Le plus ancien espace public devant la Kröpeliner Tor est l'actuel »Lindenpark« (parc des tilleuls). Ce grand terrain fut consacré en 1831 comme cimetière. Sa réhabilitation comme parc débuta après 1980. Quelques pierres tombales furent conservées sur place en souvenir. Sur la bordure sud-ouest se trouve un lieu de deuil et d'expiation: le cimetière juif aménagé en 1870.

Den äldsta anläggningen framför Kröpeliner Tor är idag Lindenpark. Den stora arealen blev år 1831 invigd som begravningsplats. År 1980 började man omdana den till park. Några gravstenar lät man stå kvar som minnesmärken. På sydvästra sidan befinner sig en sorgens och förmaningens plats: Den judiska begravningsplatsen från år 1870.

Ein Platz der Ruhe, des Bummelns und Schauens ist der 1935 von der Doberaner Straße an die noch unbebaute Hamburger Straße verlegte Botanische Garten, eine wissenschaftliche Einrichtung der Universität. Besondere Anziehungspunkte sind das Rosarium, das überraschend große Alpinum und im Frühherbst die traditionelle Pilzausstellung.

The Botanical Garden, which was moved from Doberaner Strasse to the then vacant Hamburger Strasse in 1935, is still a quiet place to stroll and enjoy the views. This area includes scientific facilities of the University of Rostock. Special attractions here are the *Rosarium*, the surprisingly large *Alpinum* (Alpine exhibit), and, in early autumn, the traditional mushroom exhibit.

Un lieu de repos, de promenade, et d'observation: le jardin botanique, transféré en 1935 de la Doberanerstrasse à la Hamburgerstrasse encore non-bâtie, est un aménagement scientifique de l'université. A noter particulièrement le rosarium, le jardin alpin étonnament vaste et au début de l'automne la traditionnelle exposition de champignons.

En plats för vila, promenader och studier är Rostocks Botaniska Trädgård, en av universitetets inrättningar, som år 1935 flyttades från Doberaner Straße till den då ännu obebyggda Hamburger Straße. Speciella attraktioner är rosariet, den överraskande stora alpina avdelningen och den traditionella svamputställningen på hösten.

Der an die Barnstorfer Anlagen grenzende Rostocker Zoo hat eine bis ins Ende des 19. Jahrhunderts zurückgehende Geschichte. Zum Zoologischen Garten wurde er 1956. Auf dem über 50 Hektar großen Gelände sind rund 1750 Tiere in 360 Arten zu Hause. International berühmt ist die Eisbärenaufzucht. Für die jüngsten Besucher gehört das Streichelgehege zu den Attraktionen.

Barnsdorfer Park, bordering on the Rostock Zoo, goes back in history to the end of the 19th Century. It became part of the Zoological Gardens in 1956. On this 50-hectar piece of land, live approximately 1,750 animals of 360 different species. The raising of polar bears here is internationally famous; for young visitors, the petting zoo is very popular.

Le zoo de Rostock remonte à la fin du XIXe. siècle. C'est en 1956 qu'il devint jardin zoologique. Environ 1750 animaux de 360 espèces sont chez eux, dans ses installations réparties sur plus de 50 hectares. L'élevage d'ours blancs est renommé internationalement. Pour les plus jeunes visiteurs, la cage où l'on peut caresser les bêtes fait partie des attractions.

Rostocks zoo, som gränsar till Barnstorfanläggningarna, har en historia, som går tillbaka till slutet av 1800-talet. Zoologisk trädgård blev det år 1959. På det över 50 hektar stora området finns omkring 1750 djur och 360 arter. Internationellt berömd är isbjörnsuppfödningen. Till attraktionerna för de yngsta besökarna hör att få klappa smådjur i en särskild inhägnad.

Eine zehn Hektar große grüne Oase ist der Schwanenteichpark, der sein heutiges Aussehen Ende der 50er Jahre erhielt. Am Rande des Parks steht die im Mai 1969 eröffnete Kunsthalle.

Swan Pond Park is a green oasis of about ten hectars, retaining the style of the 1950's. The city's art museum, built in 1969, stands at the edge of the park.

Le »Schwanenteichpark«(parc de l'étang aux cygnes) constitue une oasis de verdure de dix hectares; son apparence actuelle date de la fin des années cinquante. En bordure du parc, se trouve la »Kunsthalle«(halle aux arts) inaugurée en mai 1969.

En tio hektar stor grön oas är Schwanenteichpark, som fick sitt nuvarande utseende i slutet av 50-talet. Invid parken står en konsthall, som öppnades i maj år 1969.

Der 1965 gegründete, seit Jahren in der 1. Bundesliga spielende FC Hansa hat Rostock zu einer Fußball-Hochburg im Norden Deutschlands gemacht. Heimplatz des FC Hansa ist das 1954 eingeweihte, rund 25.000 Zuschauer fassende Ostseestadion. Der Umbau zu einem modernen Fußballstadion ist beschlossene Sache.

The FC Hansa, established in 1965, has played in the major league for years, making Rostock one of the capital cities of soccer in Northern Germany. The home stadium of FC Hansa is the *Ostsee Stadium*. Finished in 1954, the stadium can accommodate 25,000 spectators. Building of a new, modern stadium is already in the planning.

Fondé en 1965, depuis des années en première division, le FC Hansa a fait de Rostock un haut-lieu du football en Allemagne du nord. Le FC Hansa est encore domicilié au »Ostseestadion«, inauguré en 1954 et contenant 25000 spectateurs, mais la construction d'un stade moderne de football est chose décidée.

Den år 1965 grundade FC Hansa, som sedan många år spelar i Bundesligan, har gjort Rostock till en fotbollens högborg i Norra Tyskland. Hemmaplan är ännu Ostseestadion, som invigdes år 1954 och som rymmer 25.000 åskådare. Beslut har redan fattats om ett nytt modernt fotbollsstadion.

Jedes Jahr im August drängen sich an der rekonstruierten Pier des alten Stadthafens Großsegler, Traditions- und Museumsschiffe. Seit 1991 zieht die Hanse Sail die Rostocker und ihre Gäste in ihren Bann. Das Stelldichein der Windjammer, zu dem jeweils mehr als eine halbe Million Besucher kommen, ist europaweit ein Begriff.

Each year in August the reconstructed pier of the old city harbour is crowded with sailboats, large and small, modern and historical. Since 1991, the Hanse Sail has attracted both natives and guests of Rostock – sometimes as many as half a million! This meeting of the windjammers is a well-known event throughout Europe.

Chaque année en août, les grands voiliers, bâteaux de tradition et navires-musées se pressent au quai reconstruit du vieux port de ville. Depuis 1991, la course de la Hanse fait le ravissement des rostockois et de leurs hôtes. L'alignement des »Windjammer«, auquel assistent chaque fois plus d'un demi million de visiteurs est un évènement européen.

Varje år i augusti trängs vid den gamla stadshamnens rekonstruerade pir flermastade segelbåtar, traditions- och museumsskepp. Sedan år 1991 fascinerar Hanse Sail Rostocks invånare och deras gäster. Till evenemangen kommer mer än en halv miljon besökare från hela europa.

Groß Klein ist einer jener sieben Stadtteile, die seit dem Anfang der sechziger Jahre links und rechts der Warnow in industrieller Plattenbauweise entstanden. Zwischen den sechsgeschossigen Wohnblöcken wurde 1994 der 18,5 Meter hohe Einkaufs- und Bürokomplex »Klenow Tor« eröffnet.

Groß Klein is one of the parts of the city built using the industrial concrete block construction at the beginning of the 1960s to the left and right of the Warnow. Between these six-storey apartment buildings, the 18.5 metre high shopping and office complex *Klenow Tor* was built in 1994.

»Gross Klein«(grand petit) est l'un des sept quartiers de la ville qui furent créés depuis le début des années soixante de part et d'autre de la Warnow dans le style industriel des »Plattenbau«. Entre les blocs d'habitations à six étages fut ouvert en 1994 le complexe de bureaux et commerces »Klenow Tor«, haut de 18,5 mètres.

Groß Klein är en av sju stadsdelar, som sedan början av 60-talet har uppstått på bägge sidorna om Warnow i tidens industriella stil. Mellan kvarteren av hyreshus på sex våningar öppnades år 1994 det 18,5 meter höga shopping- och byråkomplexet »Klenow Tor«.

Seinen ganz eigenen Reiz offenbart das Ostseebad Warnemünde am Alten Strom. Hier liegen moderne Ausflugsschiffe, zur Fahrt in See einladende Kutter und stolze Yachten. Und die Promenade oberhalb lädt ein zum Kaufen, Einkehren und Schauen.

The Baltic resort Warnemünde on »Alten Strom« reveals its very own charm. Here, modern tourist boats, cutters, and yachts are moored. And the promenade above invites one to shop, eat, or just to enjoy looking around.

La station balnéaire sur la Baltique, Warnemünde, révèle son charme très particulier en, bordure du »Alten Strom«. Ici se trouvent des bâteaux d'excursions, des côtres invitant à la sortie en mer, des yachts orgueilleux. Et la promenade en contrehaut invite aux emplettes, à s'asseoir dans une auberge, ou simplement à regarder.

En särskild charm utstrålar östersjöbadet Warnemünde vid Alter Strom. Här ligger moderna utflyktsbåtar, fraktskepp, som tar in last, och stolta jakter. Och gatan ovanför är en enda uppfordran att shoppa och att slå sig ner och titta.

Winterliche Ruhe am Alten Strom. Gelegenheit, sich ungestört umzusehen, sich zu erfreuen an den schmucken Giebelhäusern, von denen einige aus der ersten Hälfte des 19. Jahrhunderts stammen, als die Warnemünder darangingen, Wohnraum für die Fremden, die »Berliner«, zu schaffen.

A peaceful winter scene »am Alten Strom«. At this time of year you can look around undisturbed by large numbers of people. Enjoy the decorative gabled houses, a few of which were built in the first half of the 19th Century to make room for the »foreigners« from Berlin.

Calme hivernal »am Alten Strom«. C'est le moment de regarder autour de soi sans être dérangé, de se réjouir des maisons à pignons ornées, dont certaines datent de la première moitié du XIXe. siècle, lorsque les warnemündois s'avisèrent de créer des villégiatures pour les étrangers, les »berlinois«.

En stilla vinterdag vid Alter Strom. Tillfälle att ostört se sig omkring och glädja sig åt de dekorativa gavelhusen. En del av dem härstammar från 1800-talets första hälft, då invånarna i Warnemünde företog sig att skaffa bostäder åt främlingarna, »Berlinarna«.

Seit mehr als 65 Jahren hat das auf Anregung des örtlichen Plattdeutschen Vereins (1914) entstandene Heimatmuseum Warnemünde seinen Platz in diesem 1767 erbauten typischen Fischerhaus (Alexandrinenstraße 31). Das Museum vermittelt einen Eindruck vom Leben der Fischer, Seefahrer und Lotsen, zeigt alte Warnemünder Trachten, Fischereigerätschaften, Mitbringsel der Seeleute und gibt auch einen Einblick in die Geschichte des Badewesens.

Warnemünde's museum of local history was founded by the association for the preservation of *Plattdeutsch*, the local German dialect, in 1914. Ever since, they have been housed in this typical fisherman's cottage (Alexandrinenstrasse 31) built in 1767. The museum gives you an idea of the lives that fishermen, harbour workers and other seafarers led, and lets you see traditional clothes of Warnemünde village people, fishing equipment, and exotic souvenirs of the seafarers. The museum also gives some insight into the history of Warnemünde as a resort town.

Le musée local de Warnemünde, créé en 1914 sur la suggestion du »Plattdeutschen Verein«(association pour la défense du patois nord-allemand), a pris place dans cette maison de pêcheur typique bâtie en 1767, Alexandrinenstrasse 31. Le musée donne une idée de la vie des pêcheurs, des marins, des matelots; on peut y voir d'anciennes parures warnemündoises, des ustensiles de pêche, des souvenirs de marins; on y a un aperçu de l'histoire du bain de mer.

Sedan mer än 65 år har hembygdsmuseet, som uppstod på initiativ av ortens plattyska förening, sin plats i detta år 1767 byggda typiska fiskarhus (Alexandrinenstraße 31). Museet förmedlar ett intryck av fiskarnas, sjömännens och lotsarnas liv och visar gamla folkdräkter, fiskeredskap och souvenirer, som sjömännen haft med sig. Man får också en inblick i badlivets historia.

An jedem ersten Sonnabend im Juli gibt es den Warnemünder »Umgang«, der an eine aus dem 14. Jahrhundert herrührende Tradition anknüpft. Immer wieder bestaunt werden die Mitglieder der Warnemünder Trachtengruppe in ihren historischen Kostümen.

Each first Saturday in July, the *Warnemünder Umgang* (Warnemünder Parade) takes place. This event has a tradition extending back to the 14th Century. Every year the participants thrill spectators with a display of the traditional costume of Warnemünde.

Chaque premier samedi de juillet a lieu le »Warnemünder Umgang« (defilé) qui se rattache à une tradition du XIVe. siècle. Les membres des groupes en costumes historiques de Warnemünde sont toujours admirés.

Var första lördag i juli håller man i Warnemünde »sällskap« (»Umgang«), en tradition från 1300-talet. Det är alltid en attraktion att se ortens folkdansgrupp med dess historiska dräkter.

Kaum zu zählen sind die Hotels und Pensionen, die Lokale und Cafés. Neben urigen Seemannskneipen locken an die »gute, alte Zeit« erinnernde Restaurants wie die im Stil der Jahrhundertwende eingerichtete »Gartenlaube«.

There are so many hotels and lodgings, restaurants and cafés that you almost couldn't count them all! Next to the cosy old seaman's pubs, the garden restaurants invite you to enjoy an atmosphere of the »good old days« of the turn of the century.

Innombrables sont les hôtels et pensions, les gargottes et cafés. A côté des tavernes de marins pittoresques, des restaurants dans le style du tournant du siècle rappelant le bon vieux temps, comme par exemple le »Gartenlaube« attirent la clientèle.

Oräkneliga är hotellen och pensionaten, värdshusen och kaféerna. Vid sidan om rustika sjömanskrogar lockar också »den gamla goda tidens« retauranger såsom »Gartenlaube«, inredda i sekelskiftesstil.

In der Alexandrinenstraße, dem südlichen Teil der alten »Achtereeg« (Hinterreihe), verstecken sich die niedrigen Fachwerkbauten hinter den Kronen der Linden. Einige der Häuser standen schon, bevor die ersten Badegäste am Anfang des 19. Jahrhunderts in das stille Dorf kamen.

On Alexandrinenstrasse at the southern part of the old *Achtereeg*, low half-timbered houses are hidden in the shade of the lindens. Some of these houses were standing before the first visitors arrived in the quiet village at the beginning of the 19th Century.

Dans l'Alexandrinenstrasse, qui est la partie sud du vieux »Achtereeg«, les maisons basses à colombages se cachent derrière les cîmes des tilleuls. Certaines de ces maisons étaient déjà là avant que les premiers estivants n'arrivent dans le paisible village, au début du XIXe. siècle.

På Alexandrinenstraße, södra delen av den gamla »Achtereeg« (»Bakre Raden«) gömmer sig låga korsvirkeshus bakom lindarnas kronor. En del av husen stod här redan innan de första badgästerna i slutet av 1800-talet hittade till den stilla byn.

Einen schönen Blick über Warnemünde ermöglicht die den Besuchern zugängliche Galerie des 1897/99 erbauten, 37 Meter hohen Leuchtturmes, dessen Blinkzeichen mehr als 30 Kilometer weit zu sehen sind. Die danebenstehende, durch ihr eigenwillig geschwungenes Dach auffallende Gaststätte »Teepott« (1968) wartet noch auf Umbau und neue Bestimmung.

The 37-metre-high lighthouse built in 1897/99 allows the visitor a beautiful view of Warnemünde. Its beacon reaches more than 30 kilometres. The remarkable locale, »The Teapot,« with its peculiar sweeping roof, is awaiting renovation and a new purpose.

Du haut des 37 mètres du phare, bâti en 1897/99, et dont les signaux lumineux se voient à plus de 30 kilomètres, la galerie accessible aux visiteurs leur offre une vue d'ensemble de Warnemünde. Juste à côté, l'auberge »Teepott«, remarquable par sa toiture très personnelle attend encore d'être rénovée.

En fin utsikt över Warnemünde har besökaren från galleriet i den 37 meter höga, år 1897/99 byggda fyren, vars blinksignaler syns 30 kilometer över vattnet. Restaurangen »Teepott« från 1968 med ett egendomlig format tak väntar ännu på ombyggningen och nya funktioner.

Der Seehafen Rostock, ein leistungsfähiger Universalhafen, ist eine Drehscheibe zwischen Skandinavien und den Ländern Nordost- und Südeuropas. Eine besondere Rolle spielt der Fährverkehr nach Dänemark, Schweden und Finnland.

The harbour of Rostock, an efficient modern installation, is the crossroads between Scandinavia and the countries of Northeastern and Southern Europe. Ferry traffic between Denmark, Sweden and Finland plays a special role in the harbour's business.

Le port de mer de Rostock, pouvant assurer toutes les activités portuaires, est une plaque tournante des échanges entre la Scandinavie et les pays du nord-est et du sud de l'Europe. Le trafic des ferries vers le Danemark, la Suède et la Finlande y joue un rôle de premier plan.

Havshamnen Rostock, en effektiv universalhamn, är en knutpunkt mellan Skandinavien och länderna i nordost- och sydeuropa. En särskild roll spelar färjförbindelserna till Denmark, Sverige och Finland.

Zu jeder Jahreszeit ziehen der 150 Meter breite Strand und die 530 Meter lange Westmole Spaziergänger an. Man verfolgt das Ein- und Auslaufen der Fähren, schaut den großen »Pötten« nach, die durch den Seekanal den Rostocker Überseehafen ansteuern.

The beach, 150 metres wide, and the Westmole, 530 metres long, attract walkers at every time of year. Here you can watch the coming and going of the ferries and the huge cargo ships as they make their way through the canal to Rostock's Overseas harbour.

En toute saison, la plage large de 150 mètres et le môle ouest long de 530 mètres attirent les promeneurs. On suit du regard les entrées et les sorties des ferries, on observe les grands cargos qui se dirigent vers le port d'outremer de Rostock, par le chenal de mer.

Den 150 meter breda stranden och den 530 meter långa västpiren locka promenerande hela året. Man tittar på in- och utlöpande färjor och betraktar de stora fraktskepp som styra mot havshamnen.

Westlich des Seebades Warnemünde liegt das kleine Ostseebad Nienhagen. Wer es zu Fuß erreichen will, wandert auf der Strandpromenade, vorbei am 20geschossigen Hotel »Neptun« (1971) bis zum Küstenwald. Hinter der Steilküste der Stoltera empfiehlt es sich, den Weg am Wasser fortzusetzen. Eine Besonderheit Nienhagens ist der bizarre »Gespensterwald«.

West of the resort of Warnemünde lies the smaller Baltic resort of Nienhagen. To reach it on foot, you walk down the beach promenade, past the 20-storey Hotel Neptune, built in 1971, to the coastal woods. Beyond the cliffs of *Stoltera*, the path along the water is recommended. A special feature of Nienhagen is the bizarre »Haunted Wood.«

A l'ouest de la station balnéaire Warnemünde se trouve Nienhagen, une petite station sur la Baltique. On peut l'atteindre à pied en suivant la promenade le long de la plage, passant devant l'hôtel »Neptun« et ses 20 étages, bâti en 1971, jusqu'à la »Küstenwald«. Derrière la côte escarpée de la Stoltera, il est recommandé de poursuivre le chemin au bord de l'eau. Une particularité de Nienhagen est la bizarre »Gespensterwald« (forêt des esprits).

Väster om havsbadet Warnemünde ligger det lilla östersjöbadet Nienhagen. Den som vill komma hit till fots promenerar längs Strandpromenade, förbi tjugovåningarshotellet »Neptun« (1971) till Küstenwald. Bakom den branta kusten går det bra att fortsätta längs stranden. En sevädrhet i Nienhagen är den bisarra »Gespensterwald«, »Spökskogen«.

Immer andere Schönheit, immer neue Eindrücke. Im Norden die See, im Osten und Westen Badeort neben Badeort, dazu – den Kreis vollendend – stille Dörfer und Kleinstädte. Seine Seele offenbart dieser Landstrich mit seinen vielen Gesichtern dem Wanderer, dem Suchenden, dem Schauenden.

Ever more beauties and new impressions. To the north, the sea, to the east and west resorts and more resorts intermingled with quiet villages and towns. This area of many aspects bares its soul to the wanderer, the searcher, the observer.

Toujours de nouvelles beautés, toujours de nouvelles impressions. Au nord la mer, à l'est et à l'ouest plage après plage, et pour fermer la boucle des villages calmes et des petites villes. C'est par la multiplicité de ses visages que ce paysage montre son âme au promeneur, au curieux, au contemplatif.

Alltid nya vackra vyer, nya intryck. I norr havet, i öster och väster den ena badorten invid den andra, allt omgivet av lugna byar och småstäder. Genom sina många uppenbarelseformer visar landskapet vandraren, sökaren och betraktaren sin själ.